LE CIRQUE DE CHARLIE CHOU

Fat Charlie's Circus
Copyright © 1989 Marie-Louise Gay
Publié par Stoddart Publishing Co. Ltd., Toronto

Version française
© Marie-Louise Gay 1989
Tous droits réservés

Dépôts légaux : 3e trimestre 1989
Bibliothèque nationale du Québec
Bibliothèque nationale du Canada

ISBN : 2-7625-6386-0   Imprimé à Hong Kong

LES ÉDITIONS HÉRITAGE INC.
300, Arran, Saint-Lambert, Québec J4R 1K5
(514) 875-0327

LE CIRQUE DE CHARLIE CHOU

Marie-Louise Gay

à ma grand-maman

Traduction de Christiane Duchesne

EH Héritage jeunesse

Charlie Chou
aime passionnément
le cirque.
Plus que tout
au monde!
Quand il sera
grand,
il fera partie
d'un cirque.

Quand son père lui dit:
"Charles, va ranger ta chambre",
Charlie Chou ferme la porte
et du coup, devient dompteur.
Sa chambre en souffre un peu.

Quand c'est à lui de nourrir les poissons,
il les entraîne à sauter
à travers un cerceau.
Le chat trouve ça génial.
Charlie, lui, doit passer la vadrouille.

Le jour du lavage,
Charlie Chou travaille son fabuleux
numéro de funambule
jusqu'à ce que…

...sa soeur Dorothée décide
de lui donner un coup de main.
La mère de Charlie Chou
doit tout laver encore une fois.

Un jour, il jongle avec la vaisselle
et la brise en mille morceaux.
Ses parents en ont par-dessus la tête.
"Ça suffit! Arrête ton cirque!"
Charlie Chou ne répond pas.
Charlie Chou sait
ce qu'il lui reste à faire.

Il va exécuter le grand
numéro de sa vie.
Ils vont bien voir!
D'abord, monter en haut de l'arbre le plus haut
et de là, sauter dans un petit,
un tout petit verre d'eau.
Le saut périlleux de Charlie Chou!
À lui la célébrité!

- Espèce de cornichon! dit Dorothée.
Tu vas te casser une jambe!
- Non, répond Charlie Chou.
Il commence à grimper.
- Espèce de patate!
Tu vas te casser le cou!
- Non, répond Charlie Chou,
la tête dans le feuillage.
- Tu es fou, Charlie Chou! hurle Dorothée.
Tu vas te noyer! Je vais le dire à maman!
Et c'est ce qu'elle fait.

Charlie Chou se retrouve au sommet.
Il regarde en bas.
Le verre? C'est un dé à coudre!
- Oh, oh! murmure Charlie Chou.
De la maison, sortent en trombe son père,
sa mère, sa soeur et sa grand-mère.

- Descends, c'est l'heure du souper! crie sa mère.
- Ouais, des épinards et des carottes! Super!
dit Dorothée.
- Descends tout de suite ou tu vas dans ta chambre!
crie son père.
- Ouais, et pour toujours! ajoute Dorothée.
- Descends, Charlie, dit sa grand-mère. S'il te plaît.
Charlie Chou ne répond pas. Charlie Chou ne les
regarde même pas.
Charlie Chou a peur.
Au pied de l'arbre, il y a déjà une petite foule.
Tout le monde crie,
- Descends, Charlie Chou! Charlie, descends!
Mais Charlie Chou ne descend pas.
- Je serai célèbre! dit-il.
Tout le monde en a assez.
Chacun rentre souper
chez soi.

Charlie Chou reste là
tout seul.
"Quoi faire? J'ai trop
peur de sauter.
J'ai trop peur de bouger.
Ils vont tous rire de moi."
Entre les branches,
une voix murmure:
"Charlie... "

- Grand-maman! Qu'est-ce que tu fais ici?
- Je venais admirer le point de vue. Alors
Charlie, tu vas plonger dans ton petit verre?
- Pas maintenant.
- Et si on sautait ensemble?
- Non, tu ne peux pas sauter!
Tu te casserais une jambe!
- Non, dit sa grand-mère, maintenant
debout sur la branche.
- Ne saute pas, crie Charlie Chou.
Tu vas te casser le cou!
- Non, répète sa grand-mère. Je veux être
célèbre, moi aussi.
Elle se penche au-dessus du vide...

- Attends! hurle Charlie Chou.
Descends avec moi, je vais t'aider.
Sa grand-mère réfléchit.
- Oh… et puis d'accord!
Alors Charlie Chou aide sa grand-mère
à glisser tout le long du tronc.
- Merci, Charlie. J'avais un peu peur
là-haut.
- Moi aussi.
Et ils rentrent ensemble à la maison.

Le lendemain matin, Charlie Chou
et sa grand-mère pratiquent
leur numéro d'équilibristes à vélo
sur le chemin de l'épicerie
Ils vont acheter des oeufs...

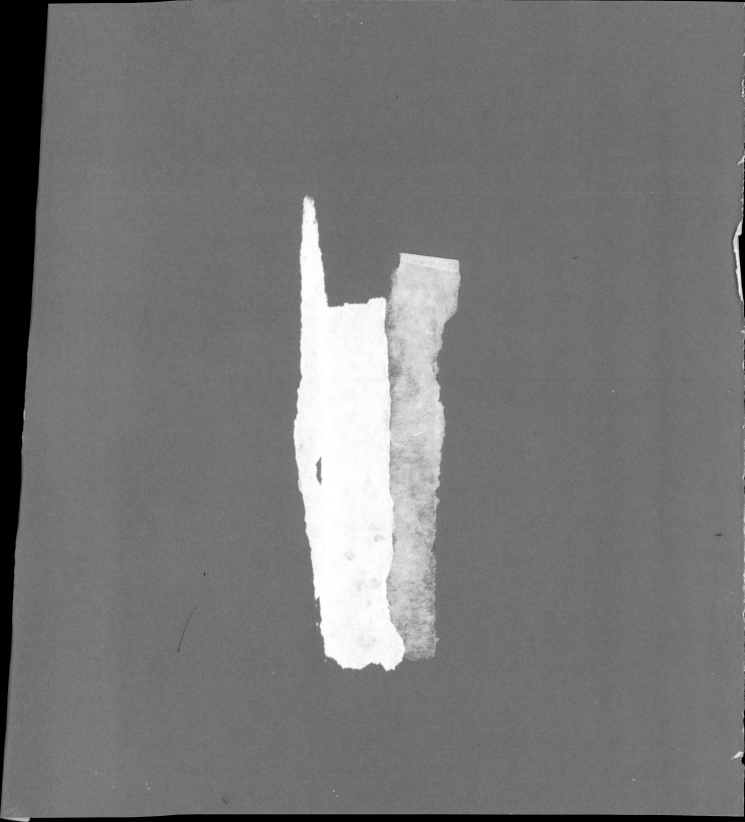